Nicolò Paganini

SONATA À VIOLIN SOLO

M.S. 83

T0071605

Edizione critica di | *Critical edition by* Italo Vescovo

RICORDI

Traduzione di | *Translation by* Avery Gosfield

Copyright © 2021 Casa Ricordi
via B. Crespi, 19 – 20159 Milano – Italy
Tutti i diritti riservati – All rights reserved

NR 142388
ISMN 979-0-041-42388-3

Sommario | Contents

RINGRAZIAMENTI · Desidero ringraziare la Banca Carige di Genova, proprietaria della *Sonata à violin solo* M.S. 83 di Nicolò Paganini, nelle persone di Alfredo Majo e Francesca Lilla (Ufficio relazioni esterne), per avermi concesso l'autorizzazione a visionare e a pubblicare l'opera; Marco Rogliano per la preziosa consulenza tecnica; Clarissa Biscardi per le traduzioni dal tedesco; Maurizio Tarrini per la descrizione del manoscritto.

ACKNOWLEDGEMENTS · I would like to thank the Banca Carige of Genoa, owner of the manuscript of Nicolò Paganini's *Sonata à violin solo* M.S. 83, in particular Alfredo Majo and Francesco Lilla of the Public Relations department, who allowed me to consult and publish the work, Marco Rogliano for his invaluable technical advice, Clarissa Biscardi for her translations from the original German as well as Maurizio Tarrini for his description of the manuscript.

INTRODUZIONE

Come documenta il nuovo *Catalogo tematico*,[1] le opere per violino solo di Nicolò Paganini, costituendo un *corpus* a sé stante, rappresentano un aspetto particolarmente significativo della sua produzione musicale.

Tale produzione, che vede al centro i *24 Capricci* op. 1 pubblicati da Ricordi nel 1820, comprende composizioni di vario carattere e struttura scritte in momenti diversi, quali *Inno patriottico*, *Tema variato* e *Sonata à violin solo* appartenenti al periodo giovanile (verosimilmente prima del 1805), il *Valtz* in La maggiore composto probabilmente a Genova nel periodo 1803-1805, la *Sonata a violino solo* (nota anche come *Merveille de Paganini*), scritta nel periodo lucchese (1805-1809) e dedicata alla principessa Elisa Baciocchi, e altri brani appartenenti a un periodo successivo quali *Capriccio a violino solo* del 1821 su «In cor più non mi sento», *Capriccio per violino solo*, un singolare brano vergato su quattro pentagrammi scritto a Vienna nel 1828, le variazioni su *God Save The King* del 1829 e il *Caprice d'adieu* del 1833.

Di seguito l'elenco delle composizioni per violino solo secondo il CTA:

M.S. 6	*Sonata a violino solo*
M.S. 25	*Ventiquattro capricci* op. 1
M.S. 44	*Capriccio a violino solo* «In cor più non mi sento»
M.S. 54	*Capriccio*
M.S. 56	*God Save The King*
M.S. 68	*Caprice d'adieu*
M.S. 80	*[Valtz]*
M.S. 81	*Inno patriottico*
M.S. 82	*Tema variato*
M.S. 83	*Sonata a violin solo*
M.S. 136	*Contradanze inglesi*
M.S. 138	*Quattro studi*

In sostanza, se si escludono i *24 Capricci*, che costituiscono la parte indiscutibilmente più importante, la più studiata ed eseguita, e qualche altro titolo, il resto delle composizioni per violino solo non ha registrato nel tempo un particolare interesse da parte degli studiosi (e degli interpreti) del grande violinista, che hanno trascurato, di fatto, alcune pagine musicalmente interessanti che, per carattere e originalità, meriterebbero un maggiore approfondimento critico.[2]

Tra queste la *Sonata a violino solo* M.S. 6 (*Merveille de Paganini*), il *Caprice d'adieu* M.S. 68, *Capriccio a violino solo* «In cor più non mi sento» M.S. 44 (versione autografa), il *Tema variato* M.S. 82, il *Capriccio per violino solo* M.S. 54, il *Valtz* M.S. 80 e *Inno patriottico con variazioni* M.S. 81, pubblicate recentemente in edizione critica, a cura dello scrivente.[3] La presente edizione critica, che si inserisce in tale indagine sulle opere poco note per violino, prende in esame la *Sonata à violin solo* M.S. 83, composizione in tre movimenti il cui titolo, diversamente da quello della *Sonata a violino solo* M.S. 6, corrisponde alla forma musicale classica. La sua pubblicazione è volta a completare il variegato quadro di insieme delle opere per violino solo del grande musicista genovese che comprende sia capolavori (*24 Capricci* op. 1), sia piccole composizioni, come il *Capriccio per violino solo* M.S. 54, il *Valtz* M.S. 80, *Alla spagnola*, pagina recentemente ritrovata e pubblicata da Ricordi nel 2020 e i *4 Valtz*.[4]

Come si legge nel CTA (p. 158), la *Sonata à violin solo* è un'opera ascrivibile agli anni 1796-1800 che comprende opere quali il postumo *Grande concerto* M.S. 75 (per violino in Mi minore), l'*Inno patriottico con variazioni* M.S. 81 e il *Tema variato* M.S. 82 per violino.[5]

1. Maria Rosa Moretti e Anna Sorrento, *Catalogo tematico delle musiche di Niccolò Paganini. Aggiornamento*, Milano, Associazione Culturale Musica con le Ali, 2018 (da qui: CTA). A tale catalogo si riferisce la sigla M.S.

2. Per una biografia aggiornata e una visione di insieme delle opere per violino solo si veda Danilo Prefumo, *Paganini, la vita, le opere, il suo tempo*, Lucca, LIM, 2020, pp. 203-226.

3. Rispettivamente nel 2016, 2017, 2018, 2019, 2021 per i tipi di Casa Ricordi.

4. Nicolò Paganini, *4 Valtz* per violino, edizione critica a cura di Italo Vescovo, Bologna, Ut Orpheus, 2020.

5. Secondo il CTA, *Inno patriottico*, *Tema variato* e *Sonata à violin solo* sarebbero stati composti nel periodo 1796-1800 (pp. 156-157), mentre *Carmagnola con variazioni* tra il 1795 e il 1800 (p. 79). I tre manoscritti, unitamente a quello relativo al *Grande concerto*, furono reperiti a Londra presso l'antiquario Hermann Baron e poi acquistati dalla Cassa di Risparmio di Genova che

Di queste composizioni non si hanno che pochissime notizie legate perlopiù alla storia dei manoscritti. La fonte di riferimento a questo riguardo è l'*Autobiografia* dettata a Peter Lichtenthal, in cui Paganini parla del periodo di studi a Parma con Gaspare Ghiretti «violoncellista di corte e noto contrappuntista»

> [...] colla sola penna, senz'istrumento; Ghiretti si innamorò tanto di me, che mi colmò di lezioni nella composizione, ed io composi sotto di lui gran quantità di musica strumentale. [...] Ritornato in patria, composi musica difficile, onde rendermene padrone, e composi altri concerti e variazioni [...].

Nell'*Autobiografia* si trova anche un interessante passo che potrebbe collegarsi alla *Sonata*:

> [...] In età di 17 anni feci un giro nell'alta Italia ed in Toscana [...] Trovandomi una volta a Livorno per diporto senza violino, un monsieur Livron m'impresta un violino per sonare un concerto di Viotti, e me ne fece poi regalo.[6]

Il nome di Livron, citato nel passo sopra riportato, sembrerebbe essere presente nel frontespizio del manoscritto che recita: «Sonata à Violin Solo | por Paganini on Livrna». La scritta, non particolarmente nitida, mette in evidenza l'equivoco che si viene a creare tra la città di Livorno e «Livrna» (o «Livron» secondo Neill e Berri). L'interrogativo è stato sollevato anche da Michael Jelden, che ha curato la prima edizione della *Sonata*, pubblicata nel 2009 da Peters (cfr. Fonti).

La *Sonata*, pervenuta in copia manoscritta (dell'autografo non si ha notizia), fu acquistata nel 1982 dalla Cassa di Risparmio di Genova e Imperia

successivamente li ha donati all'allora Istituto di Studi Paganiniani di Genova. Attualmente sono conservati nell'Archivio storico del Comune di Genova.

6. L'*Autobiografia* fu dettata il 28 febbraio 1828 al dottor Lichtenthal e pubblicata nella «Allgemeine Musikalische Zeitung», xx/1830, col. 325. Venne ripubblicata nella «Revue musicale», 1830, III, pp. 137 sgg. col titolo: *Notice sur Paganini* écrite *par lui-même*. L'episodio riportato si trova in EDWARD NEILL, *Nicolò Paganini*, Genova, Cassa di Risparmio di Genova e Imperia, 1978, p. 29, in PREFUMO, *Paganini*, p. 6, e in PIETRO BERRI, *Paganini, la vita e le opere*, Milano, Bompiani, 1982, p. 49. In quest'ultimo volume, a p. 453, nella parte dedicata alla cronologia paganiniana, si legge: «1802 aprile. I commercianti francesi Livron e Hamelin, da tempo soci in commercio a Livorno, ottengono il permesso di edificare un teatro in un terreno di loro proprietà. Livron, amante delle arti, invita Paganini per l'inaugurazione, facendogli mecenatesco dono di un violino, forse il Guarneri del Gesù del 1742, da Paganini lasciato per testamento alla città di Genova».

presso l'antiquario Oscar Shapiro di Washington. Questa fonte, unico testimone, reca non pochi problemi testuali quali errori di copiatura, note mancanti, figure ritmiche dubbie ecc., soprattutto nella *Polonoise variée*, terzo movimento (un tema con sette variazioni).

Sull'autenticità dell'opera non ci sono dubbi: la scrittura sperimentale altamente virtuosistica, le indicazioni «organetto» e «flagioletto», presenti nelle variazioni e l'uso della quarta corda, sono tratti distintivi della scrittura paganiniana di questo periodo, che la accomunano all'*Inno patriottico con variazioni* e al *Tema variato*. In particolare, con quest'ultimo condivide, non solo la tonalità (La maggiore) che è comune anche agli altri due brani, ma anche il tempo (¾), il numero e la struttura delle variazioni. Gli aspetti maggiormente significativi di questa composizione sono, tuttavia, la sua ampiezza e l'articolazione in tre movimenti (con il primo in forma sonata), cosa insolita nella produzione paganiniana per violino solo.

Il primo movimento, senza indicazione di andamento, è piuttosto ampio (154 misure) e segue lo schema A-B-A' della forma sonata. L'esposizione, con l'indicazione di ritornello, reca i due temi principali collegati da un ponte modulante, il primo più ritmico nella tonalità di impianto, il secondo più melodico, in quella della dominante (Mi maggiore). Lo sviluppo, di sole 22 misure, ha più le caratteristiche di una sezione mediana che di una vera elaborazione dei materiali tematici, che, ad esclusione della frase iniziale, sono praticamente assenti. La ripresa non ha elementi di novità e vede la riproposizione puntuale dei due temi principali nella tonalità di impianto.

Il secondo movimento, *Adagio non tanto*, è una breve pagina di struttura tripartita; l'insolito numero di battute (33) rispetto alla abituale regolarità di frase e l'ultima misura con le due crome sul battere (sospese sulla dominante) seguite da pause, lascia spazio a qualche interrogativo sul modo di concludere il movimento.

Il terzo movimento, *Polonoise variée*, è un tema con sette variazioni molto impegnative che presenta alcuni rilevanti problemi testuali discussi nelle Note critiche. Il *Tema* è di 32 misure divise in due parti di 16, dove le battute 9-16 e 25-32 sono la ripetizione, all'ottava superiore, rispettivamente di 1-8 e 17-24. La struttura delle variazioni è simile a quella del *Tema variato*: le variazioni pari sono di 32 misure e seguono lo stesso schema del *Tema*, con l'impiego di armonici, chiamati flagioletti, dove si registra anche la contrapposizione «orga-netto» e «flagioletto» (Var. IV e VI) e «quarta cor-da» e «flagioletto» (Var. II). Le variazioni dispari sono di 16 misure in due parti di 8 con ritornello, ad eccezione della *Settima* che è fuori "schema":

con le sue 13 misure (la prima parte è di 4 con ritornello, la seconda di 9 senza il ritornello) su-scita, visto l'insieme e tenendo presente quelle di *Carmagnola*, *Inno patriottico* e *Tema variato*, forti perplessità.

FONTI

Manoscritto

Il manoscritto non autografo della *Sonata à violin solo* è costituito da sei carte di formato oblungo (cm 21 × 33), cucite sul dorso con filo rosso; la prima è un foglio bianco con il frontespizio che reca «So-nata à Violin Solo | por Paganini on Livrna», segui-ta da cinque carte di musica con otto pentagrammi. La musica occupa le cc. 2r-6r (c. 6v vuota).

Sotto il titolo si legge una riga di testo raschia-ta, dove si intravvedono soltanto le parole iniziali, probabilmente «Gio. Batta» o «Gio. Battista». Sono presenti due diverse filigrane; la prima (c. 1), molto nitida, raffigura, racchiusi in un cerchio, una corona a cinque punte posta sopra le iniziali maiuscole G R comprese tra due rami forse di alloro. La seconda (cc. 5 e 6) appena leggibile, sembrerebbe raffigura-re una damigella seduta che tiene un cappello sulla punta della lancia, e un leone rampante, entrambi collocati all'interno di una palizzata. Sotto si intrav-vedono le lettere maiuscole «ZEVEN». È interessan-te notare come nel manoscritto siano presenti parole in lingua spagnola: «violin» e «por» nel frontespizio (c. 1) e «4ª cuerda» (cc. 2-4, 6).

La notazione musicale, in generale sufficiente-mente nitida con poche articolazioni e indicazioni dinamiche, registra alcuni problemi testuali di varia natura: a volte si tratta di sviste come, ad esempio, la mancata trascrizione di b. 52 del primo movimento o come b. 54 dello stesso movimento scritta due volte. In altri casi, presenta situazioni più problematiche, come, ad esempio, nella *Prima variazione*, dove il co-pista adotta una personale scrittura "stenografica",

peraltro non funzionale, che trasforma le quartine di semicrome in terzine di crome (cfr. Note critiche). Anche per le legature di frase il testo registra diffor-mità tra disegni analoghi (*Terza variazione*). La *Quin-ta* e la *Settima variazione* presentano imprecisioni anche riguardo ai ritornelli che non trovano corri-spondenza nei valori musicali delle note. La *Settima variazione*, come è stato detto, è anomala rispetto alla regolarità di costruzione sia delle altre variazioni sia del tema. Discrepanze si registrano anche per le ar-ticolazioni e gli abbellimenti: a volte le notine sono del valore di croma, in altri casi, stesso disegno, di semicroma. Non mancano poi particolarità ritmiche come ad esempio la seminima col punto seguita da tre semicrome presente nella *Seconda variazione* (cfr. Note critiche) da non intendersi come terzina di semicrome.

Edizione

Paganini, *Sonate A-Dur A Major*, Violine solo, Her-ausgegeben von Michael Jelden, Frankfurt, C.F. Pe-ters, 2009 (Lastra: 32597).

È la prima edizione (Urtext) della *Sonata à violin solo* M.S. 83 curata da Michael Jelden. La pubblica-zione ha anche finalità pratiche come testimonia-no le integrazioni di vario tipo quali, diteggiatu-re, colpi d'arco, indicazioni dinamiche, armonici, articolazioni. Per le integrazioni testuali vengono utilizzate le parentesi tonde, le legature e forcel-le tratteggiate e anche una notazione musicale su due righi, sia nell'*Adagio non tanto* sia nelle varia-zioni. Nell'*Adagio* il secondo rigo è in corpo minore con una realizzazione alternativa al testo originale, con figurazioni di carattere ornamentale. Nella *Prima variazione* il revisore adotta la notazione in corpo minore, al secondo rigo, funzionale per la realizzazione degli armonici; al contrario nelle variazioni II, IV-VII è il testo originale a essere posto al secondo rigo e sempre in corpo minore, mentre su quello principale si ha la notazione funzionale per gli armonici. Tra le soluzioni adottate si segnala la trasformazione di tutte le biscrome in semicrome nelle variazioni V e VII. Quest'ultima, alle bb. 188-189, reca un ulteriore rigo posto sotto quello principale, in cui il revisore propone una personale alternativa alla b. 189 che è riportata nelle Note critiche. L'edizione è corredata da una prefazione a firma del curatore e da note critiche.

CRITERI DELL'EDIZIONE

La presente edizione è basata sulla copia manoscritta custodita presso la Banca Carige di Genova confrontata con l'edizione Peters (cfr. Fonti). In Nota si riportano solo le discrepanze musicalmente significative tra i due testimoni; delle numerosissime integrazioni ad uso pratico (diteggiature, forcelle tratteggiate ecc.) presenti nell'edizione non si dà conto. Nel lavoro di trascrizione, si è cercato di conservare la lezione del manoscritto. Laddove la notazione musicale risulta scritta in modo approssimativo o desueto, essa è stata tacitamente normalizzata; nei punti in cui è palesemente errata o di problematica lettura, si è intervenuti cercando la soluzione musicalmente corretta e funzionale, rinviando il commento nelle Note critiche.

Tutte le scritte di carattere musicale e le diteggiature presenti nel manoscritto sono state conservate e riportate in corsivo. Le indicazioni «flagioletto» e «organetto» scritte talvolta in modo errato («flaggioletto» e «organeto»), sono state tacitamente corrette e, laddove possibile, riportate per esteso.

Tutti gli interventi editoriali sono riportati tra parentesi quadre. Per le dinamiche, peraltro poco presenti nel manoscritto, si è preferito aggiungere tra partentesi solo quelle suggerite dal contesto musicale, lasciando all'interprete piena libertà di scelta.

Le legature aggiunte sono tratteggiate. Per le integrazioni testuali si è usato il corpo minore.

L'indicazione «8va», molto presente nel manoscritto per pura comodità grafica, è stata mantenuta solo nei casi in cui la scrittura musicale trasportata avrebbe richiesto un eccesso di tagli addizionali; in tutti gli altri casi è stata sciolta.

Per maggior chiarezza testuale, alla prima misura delle variazioni I, III, V è stato aggiunto il segno di ritornello per corrispondere con quello posto otto misure dopo, analogamente è stato fatto nella *Settima variazione* quattro misure dopo; per la stessa ragione alle variazioni III, V e VII è stato aggiunto il segno di ritornello con l'indicazione di "1ª volta" e "2ª volta".

Le variazioni V e VII recano una figura ritmica che, visto il contesto musicale, suscita perplessità:

il suo significato, in un contesto di sestine di semicrome, è dubbio, potrebbe essere interpretato come una sestina di semicrome (croma seguita da quattro semicrome)

che assicura più omogeneità al tessuto musicale.

Quest'ultima figura ritmica trova riscontro nella *Quinta variazione* (bb. 2, 4, 6, 8, 10, 12, 14) del *Tema variato* (fonte non autografa) in un contesto di sestine di semicrome. Dato che il manoscritto della *Sonata* M.S. 83, unico testimone, è una copia con molti problemi testuali, si è preferito riportare nell'edizione la lezione originale per documentarne la notazione, riportando in Appendice le variazioni V e VII nella versione in 'sestine' di semicrome, e lasciare all'interprete la possibilità di scelta.

Abbreviazioni

Il manoscritto non registra segni di abbreviazione se non quelli relativi a «8va» che in alcuni casi sono conservati (cfr. Criteri). Tra l'altro nel manoscritto tale indicazione viene scritta a volte «8^a ~~~» in altri casi solo con una serpentina posta sopra le note.

Abbellimenti

Il brano oltre al trillo (*tr*) reca la notina di croma (senza taglio), di semicroma e gruppi con tre notine di biscrome. Nel manoscritto, in alcuni casi, le notine di croma e di semicroma non sono segnate in modo coerente e a volte risultano di difficile lettura;

nell'edizione si è cercato di seguire il più possibile la lezione del manoscritto, riportando in Nota le discrepanze e gli interventi correttivi.

Alterazioni

Le alterazioni mancanti e quelle di cortesia aggiunte dal revisore sono tra parentesi quadre, quelle superflue sono state tacitamente cassate. Secondo una consuetudine di Paganini, l'alterazione posta davanti a una nota vale anche per tutte le altre note dello stesso nome anche se di altezza diversa all'interno della battuta; pertanto in questi casi le alterazioni sono state aggiunte tacitamente, senza accorgimenti grafici.

ABBREVIAZIONI

Fonti

Ms   Manoscritto della *Sonata à violin solo* (Genova, Banca Carige)
EP   Editione Peters, 2009

b./bb. = battuta/e
I, II ecc. = primo, secondo ecc. tempo della battuta

Le note musicali sono citate nelle *Note critiche* seguendo il sistema sotto esposto:

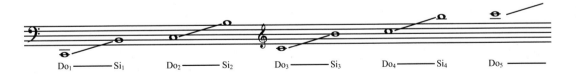

Il segno «+» posto tra due o tre note indica un rapporto armonico tra i suoni (bicordi, accordi); il segno «-» indica invece la successione melodica.

INTRODUCTION

As can be seen in the revised *Catalogo tematico* (Thematic Catalogue),[1] Nicolò Paganini's works for solo violin, which constitute a *corpus* in themselves, can be considered one of the most significant components of his musical production.

These works, with the *24 Capricci* op. 1 published by Ricordi in 1820 at their core, are made up of compositions that encompass a number of contrasting styles and structures that were written during different periods of Paganini's life, such as the *Inno patriottico*, *Tema variato* and *Sonata à violin solo*, belonging to his juvenile period, probably written before 1805; the *Valtz* in A Major, presumably composed in Genoa between 1803 and 1805; as well as the *Sonata a violino solo* (also known as *Merveille de Paganini*), dedicated to Princess Elisa Baciocchi, composed during his stay in Lucca (1805-1809). The *Capriccio a violino solo* on "In cor più non mi sento", written in 1821, like the singular *Capriccio per violino* (notated on an unusual 4-line stave) composed in Vienna in 1828, the variations on *God Save the King* (1829) and the *Caprice d'adieu* (1833) all date from a later period. Below is a list of compositions for solo violin according to the CTA:

M.S. 6	*Sonata a violino solo*
M.S. 25	*Ventiquattro capricci* op. 1
M.S. 44	*Capriccio a violino solo* "In cor più non mi sento"
M.S. 54	*Capriccio*
M.S. 56	*God Save The King*
M.S. 68	*Caprice d'adieu*
M.S. 80	*[Valtz]*
M.S. 81	*Inno patriottico*
M.S. 82	*Tema variato*
M.S. 83	*Sonata a violino solo*
M.S. 136	*Contradanze inglesi*
M.S. 138	*Quattro studi*

In essence, besides the *24 Capricci*, without a doubt the most important, most studied and most performed

of this group, and a few other compositions, none of the other compositions for solo violin have generated particular interest on the part of Paganini scholars (or performers), to the detriment of a group of pieces that deserve greater consideration and study for their originality and distinctive character.[2]

They include the *Sonata a violino solo* M.S. 6 (*Merveille de Paganini*), the *Caprice d'adieu* M.S. 68, the *Capriccio per violino solo* on "In cor più non mi sento" M.S. 44 (autograph version), the *Tema variato* M.S. 82, the *Capriccio for solo violin* M.S. 54 and the *Valtz* M.S. 80, all of which have been recently published in critical edition by this author.[3] The present critical edition, which continues this investigation of little-known works for violin, examines the *Sonata à violin solo* M.S. 83, a composition in three movements, whose form, unlike that of the similarly titled *Sonata a violino solo* M.S. 6, follows that of the classical sonata. Its publication is aimed at fleshing out an overview of the Genoese maestro's variegated output for solo violin, made up of both masterworks (like the *24 Capricci* op. 1), and minor compositions, such as the *Valtz* M.S. 80, *Capriccio per violino solo* M.S. 54, and *Alla spagnola*, recently rediscovered and published by Ricordi in 2020, as well as the *4 Valtz*.[4]

As is written in the CTA (p. 158), the *Sonata à violin solo* can be dated to the years 1796-1800, together with Paganini's posthumous *Grande concerto* M.S. 75 (for violin in E Minor), his *Inno patriottico con variazioni* M.S. 81, and his *Tema variato* M.S. 82 for violin.[5]

---

1. Maria Rosa Moretti and Anna Sorrento, *Catalogo tematico delle musiche di Niccolò Paganini. Aggiornamento*, [Revised Edition], Milano, Associazione Culturale Musica con le Ali, 2018 (henceforth referred to as the CTA). All of the manuscript sigla used here are taken from this catalogue.

2. For an updated biography and a general overview of his works for solo violin, see Danilo Prefumo, *Paganini, la vita, le opere, il suo tempo*, Lucca, LIM, 2020, pp. 203-226.

3. In, respectively, 2016, 2017, 2018, 2019 and 2021 for the presses of *Casa Ricordi*.

4. Nicolò Paganini, *4 Valtz per violino*, critical edition by Italo Vescovo, Bologna, Ut Orpheus, 2020.

5. According to the CTA, the *Inno patriottico*, *Tema variato* and *Sonata à violin solo* were all composed during the period from 1796 to 1800 (pp. 156-157), while *Carmagnola con variazioni* was composed between 1795 and 1800 (p. 79). The three manuscripts, together with the manuscript of the *Grande Concerto* were discovered in London by the antiquarian Hermann Baron and then bought by the Cassa di Risparmio di Genova, which later donated them to the Istituto di Studi Paganiniani in Genoa. They are currently kept in the Historical Archive of the City of Genoa.

Hardly any information about these compositions has come down to us, and what we do have is mostly linked to the study of manuscripts themselves. The main source regarding them is Paganini's *Autobiografia*, dictated to Peter Lichtenthal, in which he talks about his studies with Gaspare Ghiretti, court cellist and famous expert in counterpoint [*contrappuntista*] in Parma:

> [...] using a pen only, without even touching an instrument; Ghiretti was so enamoured of me that he covered me with composition lessons, and I composed a great deal of instrumental music while under his aegis. [...] Once I returned home, I started composing more difficult pieces, in order to develop my craft, composing other concertos and variations [...].

The *Autobiografia* also contains an interesting passage that could possibly be connected to the *Sonata*:

> [...] At the age of 17, I took a trip through Northern Italy and Tuscany [...] Finding myself in Livorno, for once not for work and without violin, a certain monsieur Livron loaned me one to play a concerto by Viotti which he later gave to me.[6]

It seems as if Livron's name (mentioned in the passage above) can also be seen on the manuscript entitled "Sonata à Violin Solo | por Paganini on Livrna". The writing, sometimes difficult to decipher, only adds to the confusion created by the similarities between Livorno the city and "Livrna" (or "Livron" according to Neill and Berri). This question was also raised by Michael Jelden, editor of the first edition of the *Sonata*, published in 2009 by Peters (see Sources).

The *Sonata*, which has come down to us in manuscript form (the fate of the autograph is unknown), was acquired in 1982 by the Cassa di Risparmio di

6. The *Autobiografia* [Autobiography] was dictated to Doctor Peter Lichtenthal on 28 February 1828 and published in the *Allgemeine Musikalische Zeitung* 20 (1830), col. 325. It was republished in the *Revue Musicale* (1830), p. 137 ff. with the title *Notice sur Paganini écrite par lui-même*. The passage can be found in Edward Neill, *Nicolò Paganini*, Genova, Cassa di Risparmio di Genova e Imperia, 1978, p. 29; in Prefumo, *Paganini*, p. 6 and in Pietro Berri, *Paganini, la vita e le opere*, Milano, Bompiani, 1982, p. 49. In this last work, in the section dedicated to Paganini's timeline, on p. 453, the author writes: "In April of 1802, the merchants Livron and Hamelin, who had been commercial partners in Livorno for some time, were granted a permission to build a theatre on a property that they owned. Livron, a patron of the arts, invited Paganini there for the inauguration, gifting him with a violin, perhaps the 1742 Guarneri del Gesù that Paganini would later bequest to the city of Genoa".

Genova e Imperia from the Washington antiquarian Oscar Shapiro. This source, the only surviving one, is quite problematic, with numerous scribal errors, missing notes, questionable rhythmic figures, etc., above all in the third movement, *Polonoise variée* (a theme with seven variations).

There can be no doubts as to the work's authenticity: the highly virtuosic and experimental writing, as well as the "organetto" and "flagioletto" indications found in the variations, together with the use of the fourth string, are all distinctive traits common to Paganini's style during this period, particularly present in the *Inno patriottico con variazioni* and the *Tema variato*. It is especially similar to the last of these, sharing not only its key (A Major – also used in the other two pieces) but also in its time signature (¾), as well as in the number and structure of its variations. The most significant aspects of this composition are its length, and its three-movement structure (with the first movement written in sonata form), rarely seen in Paganini's works for solo violin.

The first movement, void of tempo indications, is quite long (154 measures), and follows the A-B-A' structure of the classical sonata form. The Exposition, with repeats, presents the two principal themes, linked by a modulating bridge. The first, more rhythmical, is in the tonic key, while the second, more melodic, is in the dominant (E Major). The Development, only 22 measures long, seems more characteristic of a passing section rather than one which presents any real development of the thematic material, which is practically absent from the section except for the opening phrase. The Recapitulation is made up of a punctual repetition of the two main themes in the tonic key and does not bring in any new elements. The second movement, *Adagio non tanto*, is short and tripartite. Its unusual number of measures (33), especially in relation to Paganini's usually regular phrase lengths, together with the last measure, with its two quavers on the downbeat (with a suspension on the dominant) followed by a rest, raise some questions the way in which the movement comes to an end. The third movement, *Polonoise variée*, is a theme with seven very technically challenging variations and presents a number of significant scribal problems which are discussed in the Critical Notes. The theme is 32 measures long, divided in two sections of 16 measures each. Bars 9-16 and 25-32 are a repetition, transposed up an octave, of bars 1-8 and 17-24 respectively. The structure of the variations is similar to that of the *Tema variato*: the even-numbered variations are each

32 measures long and follow the same schema as the *Tema*, and make use of harmonics, called "flagioletti". A contrast between the techniques of "organetto" and "flagioletto" can also be found (Var. IV and VI) as well as "quarta corda" [fourth string] and "flagioletto" (Var. II). The odd-numbered variations are each 16 measures long, divided into two 8-measure sections with a repeat, except for the seventh (*Settima*) which does not follow this pattern. With its 13 measures (the first part, 4 measures long with repeat and the second, 9 without), it raises some serious doubts, especially considering its structure as a whole, as well as in comparison to the *Carmagnola*, *Inno patriottico* and *Tema variato*.

SOURCES

Manuscript

The non-autograph manuscript of the *Sonata à violin solo* is made up of six oblong pages (21 × 33 cm) bound with red thread; the first is a blank sheet with a frontispiece that reads "Sonata à Violin Solo | por Paganini on Livrna", followed by five pages of music with eight staves per page. The music occupies cc. 2r-6r (c. 6v is blank).

Below the title, there is a line of scratched-out text, where only the initial words, which could be either "Gio. Batta" or "Gio. Battista", can be read. There are two different watermarks; the first (cc. 1), very neatly written, depicts a five-pointed crown placed above the capital initials "G R" picture between two branches, possibly laurel, all enclosed in a circle. The second (cc. 5 and 6), is barely legible, but seems to depict a seated damsel holding a spear with a hat on its tip and a rampant lion. Both are placed inside a fence, with the word "ZEVEN" in capital letters written underneath. Interestingly, the manuscript uses some Spanish words: "violin" and "por" on the title page (c. 1), and "4ª cuerda" (cc. 2-4, 6).

The musical notation, in general fairly precise, does not have many indications for articulation or dynamics. It presents numerous scribal problems of various kinds: oversights, such as, for example, in the first movement, where b. 52 is left out and b. 54 is written twice. In other instances, more problematic situations come up: for example, in the First Variation, the copyist adopts their own particular (and non-functional) "shorthand" script, which transforms quatrains of semiquavers into triplets of quavers (see Critical Notes). Regarding phrasal slurs, similar passages are not notated in the same manner (Third Variation). The repeats in the Fifth and Seventh Variations are also problematic: the total length of the notes contained in them does not correspond to the time signature. The Seventh Variation, as mentioned, is irregular in comparison to the other variations as well as to the main theme. Discrepancies can also be seen in the articulations and the ornaments: in identical kinds of passages, grace notes are notated both as quavers and semiquavers. Rhythmic irregularities also abound, for example, the dotted semiquaver followed by three semiquavers in the Second Variation (see Critical Notes), that should not be read as semiquaver triplets.

Edition

PAGANINI, *Sonate A-Dur A Major*, Violine solo, Herausgegeben von Michael Jelden, Frankfurt, C.F. Peters, 2009 (Plate: 32597).

This is the first publication (Urtext) of the *Sonata à violin solo* M.S. 83, edited by Michael Jelden. The inclusion of indications for fingerings, bowings, dynamics, harmonics and articulations show that the edition was designed for practical use. Editorial additions are indicated by round parentheses and dotted slurs and accents. A form of musical notation using two staves is employed in both the *Adagio non tanto* and the variations. In the *Adagio*, the second line is notated in smaller notes, and is an alternative realisation of the original, with added ornaments.

In the First Variation, the editor uses smaller notes on the second line, this time to help with the realisation of the harmonics, in contrast to the Second, and Fourth to Seventh Variations, where the original version is put on the second line in smaller notes, while the version with harmonics is notated in normal size on the first. One of the solutions used is the substitution of semiquavers for the demisemiquavers found in Variations V and VII. In the last one, the editor has placed an additional staff below the main one in bars 188-189, where his personal alternative to bar 189, mentioned in the critical notes, can be found. The edition contains critical notes as well as a preface written by the editor.

EDITORIAL CRITERIA

The present critical edition is based on the manuscript copy held at the Banca Carige of Genoa, which has been compared to the Peters edition (see Sources). In the notes, only the musically significant discrepancies between the two sources are pointed out; the numerous additions for practical use (fingerings, dotted accents etc.) present in the Peters edition are not taken into account. While transcribing, we have tried, as much as possible, to preserve the original text of the manuscript. In the places where the musical notation is approximate or written in an obsolete manner, it has been tacitly normalised; in the places where it is obviously incorrect or unreadable, we have looked for solutions that are both musically correct and functional. Any comments about changes or corrections can be found in the Critical Notes.

All musical indications as well as the fingerings found in the manuscript have been kept and are written in italics. The "flagioletto" and "organetto" indications, which are not always spelled properly (for example: "flaggioletto" or "organeto"), have been corrected tacitly.

All editorial contributions are indicated by square brackets. As far as dynamics (which do not appear frequently) are concerned, we have chosen only to add those suggested by the musical context, leaving complete freedom of choice to the performer.

Any added slurs are dotted. Any necessary additions to the musical text are indicated by the use of smaller notes.

The octave indications (8va) found throughout the original manuscript as a writing expediency have only been kept in the cases in which notating the music at the actual octave would bring it too far above the staff. In all other cases, the octave markings have been removed.

For the sake of notational clarity, a forward repeat sign has been added to the first measures of Variations I, III and V, in order to correspond with the backward repeat sign at measure eight. The same has been done at the first and fourth measures of the Seventh Variation. For the same reason, repeat signs with indications for first and second endings have been added to Variations III, V and VII.

Variations V and VII bear a rhythmic figure which, given the musical context, raises some questions:

placed among sextuplets of semiquavers, it seems strange. Interpreting it as a sextuplet of semiquavers (quaver followed by four semiquavers)

brings it more into line with the overall musical fabric.

The same rhythmic figure is also found in the Fifth Variation (bb. 2, 4, 6, 8, 10, 12, 14) of the *Tema variato* (non-autograph source) among sextuplets of semiquavers. Since the manuscript of the *Sonata* M.S. 83, our only source, is full of notational problems (for example, rhythmic inaccuracies), we have chosen to use the original musical text here, in order to document the way in which it was originally notated. Variant versions of Variations V and VII, with semiquaver sextuplets, can be found in the Appendix. In this way, the performer has the possibility to choose for her- or himself.

Ornaments

Besides trills (*tr*), the piece also has semiquaver grace notes (without slashes), as well as groups of three semiquaver grace notes and groups of three demisemiquavers. In some cases, the quaver and semiquaver grace notes are not marked in a coherent manner in the manuscript and can be difficult to read. In this edition, we have tried to follow the manuscript as closely as possible, pointing out any discrepancies or corrections in the Notes.

Abbreviations

The only abbreviation signs found in the manuscript are octave markings ("8va") which, in some cases, have been preserved (see Editorial Criteria). Moreover, these indications are sometimes written as "8^{a} ⌇⌇⌇" and in other cases as only a serpentine shape over the note.

Accidentals

Any missing accidentals, as well as those added by the editor, have been placed in square brackets. The few superfluous ones have been tacitly removed. According to Paganini's custom, any accidental placed before a note also applies to all of the same-named notes (no matter what the octave) in the same measure. In these cases the accidentals have been added tacitly.

ABBREVIATIONS

Sources

Ms   Manuscript copy of the *Sonata à violin solo* (Genoa, Banca Carige)
EP   Peters Edition, 2009

b./bb. = bar
I, II ecc. = first, second (etc.) beats of the bar.

Musical notes are cited in the Critical Notes according to the following system:

The sign "+" put between two or three notes indicates a harmonic relation between the tones (bi- and trichords); while a "-" sign indicates a melodic succession.

Nicolò Paganini
SONATA À VIOLIN SOLO
(M.S. 83)

I

2

3

6

II

III – Polonoise variée

Var. I

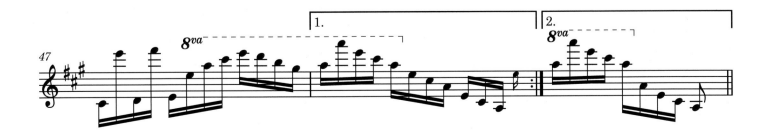

10

Var. II

Var. III

Var. IV

Var. V

14

Var. VII

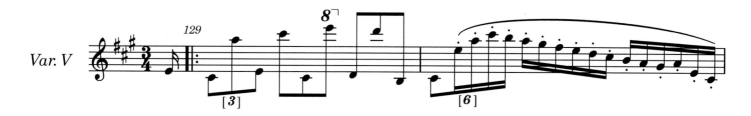

Var. V

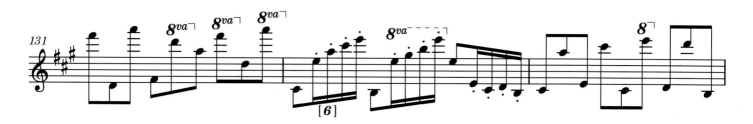

Var. VII

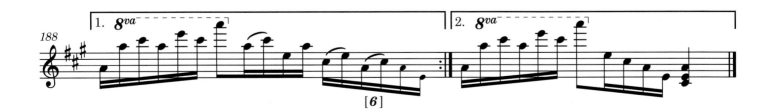

NOTE CRITICHE

[*Allegro*]

1

EP = [Allegro moderato]

2 I

EP = si^3 notina di croma.

8 I-II

Legatura estesa da 99, stesso disegno.

19 I

Ms, **EP**: Notina di croma.

32 I-II

EP: Omessa la legatura.

33 I-II

Legatura estesa da 118, stesso disegno.

44 III

Ms: Notina di semicroma.

49 I

Ms, **EP**: Prima nota mi^3 croma. Si è preferito il modello di 134, soluzione più convincente.

52

Ms: Mancante, b. desunta da 48.

53 IV

Ms: Ultima semicroma $sol\#^2$.

57 III

EP: L'indicazione di «8va» arriva sino al si^5.

61 III-IV

Ms: È l'unico caso in tutta la *Sonata* in cui viene utilizzato il simbolo degli armonici (omessi in **EP**) che è posto sotto le ultime tre note (mi^6 - $sol\#^6$ - si^6).

70 I, 71 I, 92 I

Ms: Notina di semicroma. Si è preferito mutarla in croma seguendo il modello di 1.

85 III

Ms = $mi^4 + la^4 + do^4$

88 I
Ms: Prima croma *mi⁴*; si è preferito seguire il modello di 90 I, più convincente.

97 II
EP = *p*

103 I, 129 III
Ms: Notina di semicroma.

111 I
EP: La legatura inizia dal *mi⁴*.

111 IV
EP: Legatura omessa sulle ultime due semicrome.

122 III
Ms, EP = *la⁴* croma con pausa stesso valore; si è preferito il modello di 37.

129 III, 148
EP: Rispettivamente notina di semicroma e di croma.

152 I
Ms: Erroneamente *mi³* croma col punto - *fa³* semicroma.

Adagio non tanto

14 I, 27 I, 28 I
Ms: Notina di semicroma. Si è preferito mutarla in croma seguendo il modello di 6, 26; scelta analoga in EP, che però a 27 segue Ms.

12 I-II
EP: La legatura arriva sino al *la³* semiminima.

Polonoise variée

[Tema]

1-2, 4, 5 III
Legature estese da 9-10, 12 e 13 III, stesso disegno.

4 I
EP: Legatura omessa.

7
Legatura estesa da 15.

12 III

Ms: La notazione appare problematica; assieme all'iniziale pausa di croma c'è anche un *mi³* notina di semicroma. Dato che si tratta della ripetizione di 4 all'ottava superiore, si è preferito seguire quel modello, più coerente. **EP** accoglie la pausa di croma seguita da *mi⁵* croma.

16 II, 32 II

EP = *la²* semiminima.

32 III

Pausa di croma seguita da *mi⁴* croma.

Variazione I

33 II

Ms: Prima semicroma *la⁴*; si è preferito il modello di 37 I, stesso disegno, più convincente.

34 II

EP: Prima semicroma *sol♯⁴*.

40

Ms: L'indicazione di "1ª volta" e "2ª volta" viene esplicitata nel modo seguente:

La soluzione adottata nella presente edizione è volta ad assicurare un migliore collegamento con 33.

41-48

Il copista ha qui utilizzato un modo molto personale (non funzionale) di trascrizione, dove non mancano sviste (a 47 III le tre note sono erroneamente *do⁶ - mi⁶ - mi⁶* e a 48 la terzultima nota è *fa♯³*); per l'indicazione di "2ª volta" utilizza una notazione stenografica, con la sola testa delle note.

Variazione II

49 III
Ms: Legatura sulle prime tre note.

49 I-II, 53 I-II, 65 I-II, 67 I-II, 75 I-II

Ms, EP =

EP aggiunge arbitrariamente l'indicazione di terzina alle semicrome.

51 III-IV

EP =

78 I
EP = ♪. ♪

Variazione III

81 I-II
Ms: Legatura di frase.

82 I-II, 85 I-II
Ms: La legatura di frase arriva sino al *do⁶*.

83 I, 86 I
Ms: Legatura di frase.

87 I
Ms: Ultime due biscrome *si⁴* - *re⁵*.

88 I
Ms: Prima biscroma *fa²*.

88 III
Ms = *la²* croma con pausa stesso valore e, dopo il ritornello, *mi³* semicroma. La soluzione adottata nell'edizione è volta ad assicurare un migliore collegamento con 81.

89 I-II
Ms: Terza e sesta semicroma rispettivamente *mi³* e *mi⁴*; quarta nota del secondo tempo *re⁶* semicroma. La legatura di frase arriva sino al *do⁶*.

90 II

EP =

92 II

Ms: Quartina di biscrome anziché di semicrome.

EP =

96 III 2ª volta

Ms = *la²* croma seguito da pause di croma e di semiminima.

Variazione IV

100 I

EP: Prima semicroma *do♯³* con 〰〰

104 III

Ms: Pausa di croma seguita da *mi⁴* croma. Si è preferito seguire il modello di 112 III e 120 III.

119 III, 127 III

Ms, EP: Prima semicroma *do♯³*. Si è preferito sostituire la nota, armonicamente debole, con *si²*, come peraltro si registra a 103 III e 111 III, anche nel *Tema* e nelle altre variazioni.

120 II

Ms, EP = *la²* croma con pausa di croma. Si è preferito seguire il modello di 104, 112 e 128.

121 II

Ms, EP: Seconda semicroma *do♯³*. Si è preferito seguire il modello di 113 II, stesso disegno.

122 II

Ms: Terza semicroma *sol♮⁴*. Si è preferito il modello di 114 II dove è stato aggiunto il precauzionale ♯ davanti al *sol⁴*.

Variazione V

129 (levare)

Ms, EP = *mi³* croma; tale valore non corrisponde con 136 III; analogamente si registra al levare di 137 (cfr. Nota 136). La soluzione adottata nella presente edizione è volta ad assicurare un migliore collegamento tra 129 e 136, e successive misure.

129, 133

EP: L'indicazione di «8ᵛᵃ» viene estesa anche al *la⁴* e *do⁵* (I-II), e al *mi⁵* (III).

130 I, 132, 134 I, 136 I, 138 I, 140 I, 142 I, 144 I
    EP: Tutte le quartine di biscrome sono mutate in semicrome (cfr. Criteri dell'edizione).

132 II
    EP: Omessa l'indicazione di «8va» alla quartina di biscrome.

136

141 II
    Ms, **EP**: Seconda croma *re³*.

144 III 2ª volta
    Ms: Pausa di croma dopo le cinque semicrome discendenti.

Variazione VI

158 II
    Ms, **EP**: Seconda croma *la²*. Per errore in **EP** corrisponde a 159.

159 II
    Ms, **EP**: Seconda croma *la³ + do♯⁴ + mi⁴*; la soluzione adottata nella presente edizione, priva del *mi⁴*, è volta a mantenere in modo coerente la scrittura a due voci. Si lascia all'interprete la possibilità di accogliere o meno il suggerimento.

163 I
    EP: Terzina di crome *re³ - do♯³ - si²*.

Variazione VII

177 (levare) – 180
    Ms =

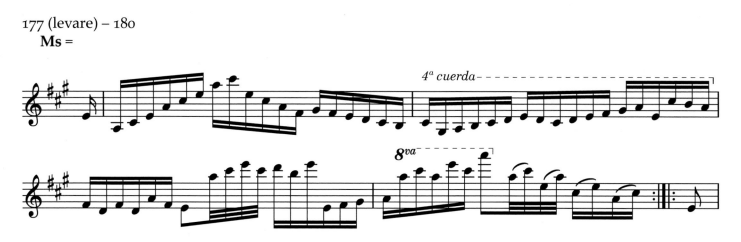

Data la notazione imprecisa tra il levare di 177 e 180, si è preferito adottare l'intervento correttivo riportato nell'edizione, per migliorarne collegamento.

178 – 189

    EP: Tutte le quartine di biscrome sono mutate in semicrome. (cfr. Nota 130 I *Variazione V*).

179

    Ms: A questa ne segue un'altra mutila poi cassata

182 III

    EP: Ultima nota *si³* biscroma.

185 III

    Ms, **EP**: Ultime due biscrome *la³* - *la²*.

186-189

    EP: Per errore sono indicate come 187-190.

188

La soluzione adottata nella presente edizione, con l'aggiunta del ritornello e dell'indicazione di "1ª e 2ª volta", è mirata ad assicurare un migliore collegamento tra 181 e 188 e quest'ultima con 189. **EP** segue **Ms**.

188-189

    EP: Disposte su tre righi: quello superiore, in corpo minore, reca la notazione del manoscritto; al centro la trascrizione del revisore, al rigo inferiore una versione della precedente con uso di armonici (188 I), seguita dalla seguente proposta alternativa di 188 III-189:

CRITICAL NOTES

[*Allegro*]

1
EP = [Allegro moderato].

2 I
EP = b^3 quaver grace.

8 I-II
Slur copied from 99 (similar passage).

19 I
Ms, **EP**: Quaver grace notes.

32 I-II
EP: Slur omitted.

33 I-II
Slur copied from 118 (similar passage).

44 III
Ms: Semiquaver grace note.

49 I
Ms, **EP**: First note e^3 quaver. The model of 134, a more convincing solution, was preferred.

52
Ms: Missing, b. deduced from 48.

53 IV
Ms: Last semiquaver $g\#^2$.

57 III
EP: The indication of "8va" goes up to the b^5.

61 III-IV
Ms: This is the only case in the whole *Sonata* where the harmonics symbol (omitted in **EP**) is employed; it is placed under the last three notes (e^6 - $g\#^6$ - b^6).

70 I, 71 I, 92 I
Ms: Semiquaver grace note. Changed to a quaver following the pattern of 1.

26

85 III
Ms = $e^4 + a^4 + c^4$

88 I
Ms: The first quaver is an e^4; 90 I, a more convincing solution, was used as a model.

97 II
EP = p

103 I, 129 III
Ms: semiquaver grace note.

111 I
EP: The slur begins at the e^4.

111 IV
EP: Omitted slur over the last two semiquavers.

122 III
Ms, EP = a^4 quaver and quaver pause; model found in 37 preferred.

129 III, 148
EP: Semiquaver and quaver grace notes, respectively.

152 I
Ms: Incorrectly written as a dotted quaver on $e^3 - f^3$ semiquaver.

Adagio non tanto

14 I, 27 I, 28 I
Ms: Semiquaver grace note. It has been changed to a quaver, following the model of 6 and 26; a similar choice was made in EP, which, however, follows Ms 27.

12 I-II
EP: The slur also includes the a^3 semiquaver.

Polonoise variée

[Tema]

1, 4 III
Slur is extended as in 3. Slur in 9 and 13 III follow same model.

4 I
EP: Slur omitted.

7
Slur added as in 15.

12 III

Ms: The original notation is problematic here: together with the initial pause of a quaver there is also semiquaver grace note on e^3. As it is essentially a repetition of b. 4 transposed up an octave, we preferred to follow that model, which is more coherent. **EP** retains the quaver rest, followed by an e^5 quaver.

16 II, 32 II

EP = a^2 semiquaver.

32 III

Quaver rest followed by an e^4 quaver

Variation I

33 II

Ms: First semiquaver a^4; 37, with a similar pattern, but more convincing was used as a model.

34 II

EP: First semiquaver $g\sharp^4$.

40

Ms: The indications for the first and second repeats have been made clearer:

The solution adopted in the present edition is aimed at having 40 correspond to 33.

41-48

Ms =

The scribe has used a very personal (and not very efficient) mode of transcription, with numerous oversights, for example, at 47 III the three notes are erroneously written as c^6 - e^6 - e^6 and at 48 the third from last note is an $f\sharp^3$). For the second repeat, a kind of shorthand was employed where only the heads of the notes were used.

Variation II

49 III
Ms: Slur over the first three notes.

49 I-II, 53 I-II, 65 I-II, 67 I-II, 75 I-II

Ms, EP =

EP arbitrarily adds a triplet indication to the semiquavers.

51 III-IV

EP =

78 I
   EP = ♪. ♪

Variation III

81 I-II
   Ms: Phrasal slur.

82 I-II, 85 I-II
   Ms: The phrasal slur continues until the c^6.

83 I, 86 I
   Ms: phrasal slur.

87 I
   Ms: The last two demisemiquavers are b^4 - d^5.

88 I
   Ms: First demisemiquaver is an f^2.

88 III
   Ms: A quaver on a^2 followed by a quaver rest, with, after the repeat, a semiquaver on e^3. The solution used in this edition is aimed at having 88 correspond to 81.

89 I-II
   Ms: The third and sixth semiquavers are respectively an e^3 and e^4; the fourth note of the second beat is a d^6. Here, we followed the model of 91. The phrasal slur lasts until the c^6.

90 II

EP =

92 II

    Ms: Four demisemiquavers instead of four semiquavers.

EP =

96 III "2ª volta"

    Ms = a^2 quaver followed by quaver and crotchet rests.

Variation IV

100 I

    EP: First semiquaver $c\sharp^3$ with ᴧᴧᴧ

104 III

    Ms: quaver rest followed by e^4 quaver. Bars III of 112 and 120 were used as models.

119 III, 127 III

    Ms, EP: First semiquaver $c\sharp^3$. Because the note is harmonically weak, it was replaced with a b^2, following the example of 103 III and 111 III, as well as in the Theme and in the other variations.

120 II

    Ms, EP = a^2 quaver followed by a quaver pause. Here, the model of 104, 112 and 128 were followed.

121 II

    Ms, EP: Second semiquaver $c\sharp^3$. The model of 113 II, which has the same outline, was followed.

122 II

    Ms: Third semiquaver $g\natural^4$. 114 II was used as a model, with the addition of a courtesy $\sharp$ in front of the g^4.

Variation V

129 (upbeat)

    Ms, EP = e^3 quaver; the length of this note is not consistent with 136 III; just like the upbeat to 137 (see Note 136). The solution adopted in the present edition is aimed at ensuring a consistency between 129 and 136 as well as with the subsequent measures.

129, 133

    EP: The "8ᵛᵃ" indication is also extended to the a^4, c^5 (I-II), and e^5 (III).

130 I, 132 I, 134 I, 136 I, 138 I, 140 I, 142 I, 144 I

    EP: all demisemiquavers have been changed to semiquavers. For more information, see *Editorial Criteria*.

132 II

    EP: The "8ᵛᵃ" indication is omitted from the groups of four demisemiquavers.

136

141 II
  Ms, EP: Second quaver d^3.

144 III "2ª volta"
  Ms: A quaver rest after the five descending semiquavers.

Variation VI

158 II
  Ms, EP: Second quaver a^2. In **EP**, in error, it corresponds to 159.

159 II
  Ms, EP: Second quaver $a^3 + c\sharp^4 + e^4$; the solution adopted in the present edition, without the e^4, is aimed at keeping the two-voiced writing coherent. It is left to the interpreter to decide whether or not to accept this suggestion.

163 I
  EP: quaver triplets $d^3 - c\sharp^3 - b^2$.

Variation VII

177 (upbeat) – 180
  Ms =

Given the unclear notation of the upbeats to 177 and 180, some corrections have been made in order to improve consistency.

178-189
  EP: All of the groups of four demisemiquavers have been changed to semiquavers (see Note 130 I *Variation V*).

179

Ms: This is followed by an incomplete one which was later crossed out.

182 III

EP: The last note is a semiquaver b^3.

185 III

Ms, EP: The last demisemiquavers are a^3 - a^2.

186-189

EP: Have been indicated as 187-190 by error.

188

The solution employed in the present edition, with the addition of the repeat and the indications of "first and second repeat" is designed to guarantee consistency between 181 and 188, as well as 188 and 189. **EP** follows **Ms**.

188-189

EP: Arranged across three lines: the first, with smaller notes, shows the original notation, the second is the editor's transcription, the third a version of the second with added harmonics. (188 I), followed by the following alternate proposal for 188 III-189: